Un esqueleto en vacaciones

Ana María del Río

**Ilustraciones de
Fabiola Solano**

Delfín de Color
I.S.B.N.: 978-956-12-2333-2.
12ª edición: febrero de 2016.

Gerente Editorial: Alejandra Schmidt Urzúa.
Editora: Camila Domínguez Ureta.
Director de Arte: Juan Manuel Neira Lorca.
Diseñadora: Mirela Tomicic Petric

Editado por Empresa Editora Zig-Zag, S.A.
Los Conquistadores 1700. Piso 10. Providencia.
Teléfono (56–2) 2810 7400. Fax (56–2) 2810 7455.
www.zigzag.cl / E-mail: zigzag@zigzag.cl
Santiago de Chile.

Impreso por Gráfica Andes.
Santo Domingo 4593. Quinta Normal.
Santiago de Chile.

Índice

Un esqueleto en vacaciones

Érase un esqueleto que se llamaba Ostos. Era de verdad y estaba hecho de huesos de verdad.

Ostos vivía en el laboratorio de un gran colegio antiguo, en las afueras de la ciudad. Se mantenía en pie, afirmado por un largo tubo de metal y una especie de cordel muy delgado y resistente, que sostenía unidos todos sus huesos. Ostos encontraba que lo del tubo era muy tonto, puesto que él podía perfectamente mantenerse en pie, pero todos parecían encontrar muy natural que un esqueleto estuviera ahí, atado al tubo, como una marioneta.

Ostos vivía entre frascos de cristal muy grandes, probetas, tubos de ensayo, alambiques, retortas y muchas sustancias químicas. Cuando estaba demasiado aburrido, Ostos se desamarraba del tubo que lo sostenía y caminaba por el laboratorio.

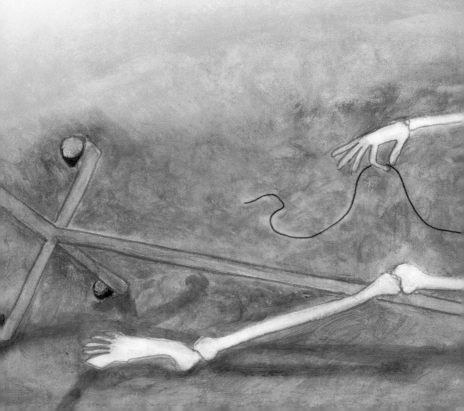

No se lo había dicho a nadie, pero sabía caminar perfectamente. Le gustaba mucho dar caminatas en las noches por los corredores del colegio, muy anchos. Entraba a las salas de clase. Primero se paraba en el lugar del profesor. Luego se sentaba en los escritorios, pintados con nombres y corazones. Y luego, con el pasar de las horas, a veces se iba quedando dormido sobre el pupitre.

Lo que le gustaba era mirar el laboratorio. Había grandes mesones altos, llenos de tubos y retortas de vidrio, líquidos de colores en diversos recipientes, lavatorios, llaves de largo cuello, como jirafas, y más allá, quietos y silenciosos, se hallaban unos pequeños cuadrúpedos embalsamados: un pudú, un huemul y dos pequeños halcones chilenos. *Animales de Chile en extinción*, decía un letrero.

Ostos se aburría un poco, encerrado todo el día entre seres tan silenciosos, y rodeado de paredes de madera oscura, muy inglesa, porque era un colegio inglés. Había olor a encierro y a tiempo que no pasaba.

Pero cuando más se aburría Ostos era cuando se acercaban las vacaciones de verano. Al llegar diciembre, los niños del colegio se iban poniendo más y más felices y sacaban la cuenta con los dedos de cuántos días faltaban para salir de vacaciones. Entretanto Ostos, el esqueleto, se iba poniendo más y más triste, porque sabía que pasaría todas las vacaciones solo, encerrado en el laboratorio de paredes de madera oscura, entre los tubos de ensayo y aquellos animales quietos como estatuas.

Muy solo

A veces, en las noches, Ostos se tendía en las mesas del laboratorio cuan largo era, y era muy largo. Y se quedaba dormido ahí, sobre los mesones duros. Él no necesitaba colchón, porque era de puro hueso.

Luego, cuando despertaba, paseaba entre los armarios con animales disecados y a veces, de puro aburrido, dejaba correr las llaves de los inmensos lavatorios con llaves de largo cuello, como jirafas. Se armaban inundaciones, como pequeños lagos dentro del laboratorio, que luego se secaban solos en la calurosa soledad de las vacaciones de verano.

Ese año, como todos los años, llegó diciembre y los niños se fueron a vacaciones. Se despidieron alegremente de Ostos, estrechándole su huesuda mano y diciéndole "¡Hasta marzo!", y riendo.

Ostos se quedó solo en la oscuridad del laboratorio, paseándose de alto a bajo, por entre los polvorientos estantes y retortas.

De repente se detuvo. Se le había ocurrido una idea.

La decisión

Esta vez, decidió, él no se quedaría todo lateado en el laboratorio durante las vacaciones, bostezando y sacando la cuenta con los dedos de cuánto faltaba para que llegara marzo.

Esta vez, él, el esqueleto Ostos, saldría a vacaciones.

Cuando lo decidió se puso muy contento. En puntillas fue al guardarropa y sacó un abrigo de pelo de camello que se le había quedado a un profesor francés de ciencias, distraído y friolento. Luego sacó un sombrero, que había perdido el profesor de música, un curioso sombrero de copa.

Pero había un problema.

Para salir a vacaciones hace falta dinero. Todos los niños comentaban que salir de vacaciones era muy caro. Ostos se quedó pensando.

Y luego, se le ocurrió otra idea. Fue a la sala de historia también en puntillas. Abrió la tapa de cristal del armario de muestras históricas y sacó algunas monedas muy antiguas, que tenían dibujada la cabeza de gente, como emperadores y cosas así.

Ya estaba solucionada la cuestión dinero, pensó.

Sabía que no estaba muy bien lo de sacar dinero sin permiso, pero él necesitaba con urgencia salir a vacaciones. Cuando estuviera por volver al colegio, pensó, vendería el abrigo y devolvería el dinero.

Dejó todas sus cosas listas. Partiría al día siguiente, al alba.

Esa noche, casi no pudo dormir. Miraba la luna, con los ojos abiertos, pensando en que era la primera vez que salía a vacaciones en su vida.

Esa mañana muy temprano, Ostos caminó hacia el portón del colegio. Iba con su abrigo y su sombrero de copa. En ese momento, se dio cuenta del segundo problema.

No tenía zapatos

Pensó un momento y encontró la solución. Dio media vuelta y entró al gimnasio. Allí se fue al armario de las cosas perdidas y seleccionó un par de zapatillas olvidadas. Luego se miró en un espejo grande, que había en la sala de disfraces. Se veía un poco raro, con abrigo, sombrero de copa y zapatillas, pero peor era salir a hueso pelado. Y muy contento, salió del colegio y comenzó sus vacaciones.

Olor a aire fresco

Ostos iba feliz. Habían comenzado sus vacaciones. Las primeras que tomaba en su vida. Por donde pasaba, sentía el olor a aire fresco, muy distinto del olor a encierro del colegio. También veía un sol brillante, amarillo, como en los dibujos que hacían los niños a vuelta de vacaciones. Todo estaba lleno de flores y abejas y eucaliptus y álamos y pinos llenos de agujas verdes. Ostos respiró a pleno costillar.

A poco andar, llegó a la ciudad. Se llamaba Santiago de Chile y estaba llena de calles y de gente.

Al comienzo, la gente lo miraba por las calles, extrañada de verlo con abrigo, tan abrigado en pleno verano. Pero Ostos iba muy digno y serio y después se acostumbraron y no lo miraron tanto.

Al entrar en Santiago, al comienzo, Ostos se quedó con la boca abierta. Había casas inmensas, con cientos de ventanas, todas iguales. Había puentes gigantescos y bajo ellos, en vez de agua, corría un río de autos y más autos. Eran carreteras y edificios, solo que Ostos no los conocía. Había gente por miles en la ciudad. Gente apuradísima, corriendo por las calles. Gente gordísima, con los huesos muy por debajo de la carne. Gente enojadísima, almorzando a toda carrera, gente gesticulando, gente bostezando, llorando, riendo, viviendo a toda carrera.

Entonces, Ostos llegó a la Plaza de Armas y se sentó en uno de los bancos. Ahí nadie lo miraba. Había mucha gente parecida a él, con abrigo y sombrero. Había muchos viejitos jugando partidos de ajedrez en tableros de madera, entonando valses y marchas militares muy ceremoniosas y solemnes.

Ostos paseó por la plaza y entró a la cate-
dral. Un lustrabotas le miró las zapatillas y
meneó la cabeza. No era un cliente. Las zapatillas no se lustraban. Adentro Ostos miró
durante mucho rato los vitrales y las inmensas
columnas y techos pintados, que parecían
un cielo de verdad allá a lo lejos. Miró hacia
arriba, hasta que le dio hambre, y entonces
se acordó de que no había almorzado.

Entró en una farmacia. Lo miraron un poco raro cuando pidió un sobre de calcio. Siempre Ostos había almorzado eso. Era lo único que necesitaba para su cuerpo de esqueleto. Cuando Ostos pagó con una de las monedas antiguas, el cajero, distraído, la guardó en el cajón de la máquina registradora, que se cerró automáticamente al expedir la boleta. Ostos se echó el calcio de un golpe por el cráneo para adentro y se sintió reanimado. ¿Qué haría ahora?

El hotel

Ostos miraba a todos lados. Se dio cuenta de que se hallaba de vacaciones en una ciudad en la que todos pasaban corriendo cerca de él, sin hablarle, sin mirarlo, sin detenerse un solo segundo. Él no existía para nadie.

A veces, un grupo de gente era detenido por la luz roja de un semáforo. Todos se detenían y miraban el celular o el diario. Pero nadie miraba a nadie. Toda la gente andaba muy rápido, sin siquiera respirar, como si el mundo se estuviera acabando.

Poco a poco, cayó la tarde en la ciudad. Ostos comenzó a preocuparse. ¿Dónde dormiría? Entró a un hotel y se sacó el sombrero. Al verlo, la señorita de la recepción lanzó un grito horroroso y cayó desmayada. Asustado, Ostos salió, apurado, alejándose de ahí, antes que alguien llegara.

Después de caminar un rato, pensando, Ostos, algo cansado, entró en otro hotel del centro. En este había un empleado, un joven chascón que comía chicle con una rapidez increíble y hacía unos globos como nubarrones rosados, que le tapaban la cara completa.

–Quiero una pieza –dijo Ostos, cortésmente–. El otro no contestó.

–Quiero una pieza –repitió.

–Carnet –dijo el joven, sin dejar de hacer globos con su chicle.

–¿Qué? –dijo Ostos.

–Carnet –repitió el joven–. Sin carnet no hay pieza. Además, no se admiten disfrazados –añadió. Abrió el diario y su globo desapareció detrás de los titulares.

–No estoy disfrazado –dijo Ostos.

El joven no contestó. Ostos se dio cuenta de que no le daría ninguna pieza, aunque le pagara todas las monedas antiguas de la colección del colegio.

Salió del hotel y se percató entonces que no era como los demás. Su aspecto era raro y había hecho desmayarse a la señorita del hotel.

Sin saber qué hacer, Ostos caminó mucho rato por calles, aceras, veredas, pasajes y avenidas de la gran ciudad.

Echaba de menos el colegio. A esta hora, él ya se estaba arrimando a la pared de los mapas, donde se acurrucaba para dormir.

Echaba de menos a los niños, cuando iban entrando al laboratorio, a clase de ciencias. Entraban en grupos, riendo. Le daban la mano y le decían: "Hola Ostos, cómo estás viejo amigo".

Y lo empujaban un poco, haciéndolo bambolearse.

Les encantaba comentar:

—¿Te imaginas que Ostos saliera caminando un día?

—Uh, sería fantástico, pero es solo un esqueleto de colegio.

Si me vieran ahora, pensó Ostos, sonriendo.

Aquí en la ciudad nadie le decía "Ostos, viejo amigo". Nadie le decía nada, en realidad.

La noche

Cayó la noche y Ostos comenzó a tener frío. Soplaba un aire helado. Estaba acostumbrado al laboratorio del colegio, donde nunca sentía frío, gracias a la madera de caoba oscura que cubría las paredes.

Ostos caminó y caminó hasta que sus rótulas y los huesitos de sus brazos crujieron como máquinas en desuso.

–Me estoy cansando mucho –se dijo–. Estas no son las vacaciones que yo esperaba. Muerto de cansancio, helado de frío, sin un lugar para pasar la noche.

Entonces llegó hasta las rejas de un parque sumergido en la oscuridad. Por supuesto, el parque estaba cerrado, pero a Ostos no le importó. Él era tan flaquito, que cabía por entre los barrotes de cualquier reja, por estrecha que esta fuera. Pasó al otro lado.

Entonces, ante los ojos, es decir, ante las cuencas de los ojos maravillados de Ostos, se abrió un mundo encantado, que no había visto jamás.

Un barco pirata vacío se balanceaba lentamente bajo la plateada luz de la noche. Ostos se acercó despacio, maravillado.

Y lentamente se subió al barco. No había nadie. Solo la luz de la luna.

El barco empezó a navegar por el aire, balanceándose lentamente, con Ostos en la punta de la proa, afirmado con los huesos de sus manos en el timón de madera, mirando, mirando hacia la noche oscura, oscura como las mismas cuencas de sus ojos. Parecía que iba sobre el mar de la noche.

—Qué fantástico —dijo Ostos en voz alta, en medio del barco.

Y pensó que recién entonces habían comenzado sus vacaciones. Sus verdaderas vacaciones en la noche bajo la luz de la luna.

De pronto el barco pirata se detuvo y Ostos saltó a tierra. Siguió caminando por el camino de maicillo blanco de los senderos de aquel parque nocturno, en busca de más maravillas.

Llegó hasta un artefacto muy extraño, que se levantaba en medio de los árboles.

Parecía una montaña, pero no era una montaña. Parecía un camino encabritado de rieles por una montaña. En el centro, un grueso árbol de metal sostenía la armazón.

Mirado de lejos, parecía el esqueleto de un animal prehistórico, pensó Ostos, que conocía los animales prehistóricos muy bien, porque se sabía de memoria las láminas que había de ellos en el laboratorio del colegio.

Ostos se acercó interesado y lo tocó. No. No era el esqueleto de un animal prehistórico. No era de hueso. Era de todo un poco: montaña, camino encabritado, riel, árbol, esqueleto.

La señorita Taisa

Ostos trepó a aquella armazón de metal. En lo alto había un carro rojo de dos asientos, parado justo en la cumbre de aquella extraña montaña, con las ruedas sobre el estrecho riel.

Ostos se sentó en el carrito rojo. Y entonces sucedió algo muy extraño. Ostos miró el asiento vacío que había a su lado. Y de pronto se sintió muy solo y le dio un

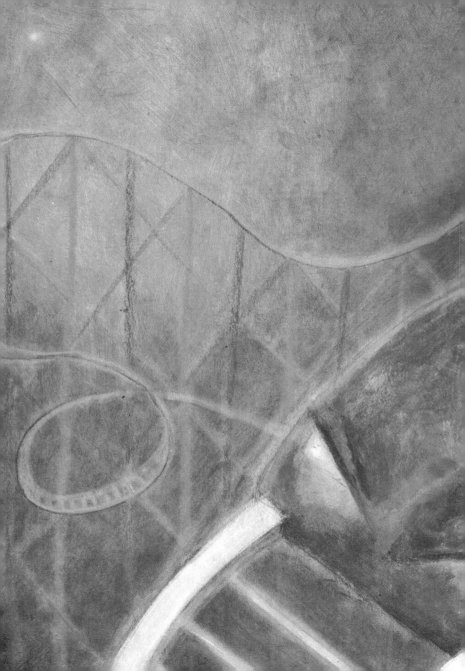

poco de pena. Estaba solo, de vacaciones. No tenía a nadie en el mundo que fuera parecido a él. Ni siquiera un poco.

Recordó lo que le había sucedido en el colegio el año pasado, con la señorita Taisa Bailova, la delgadísima profesora de ballet clásico. Ostos se había enamorado de ella a pesar de que todos decían que la señorita Taisa no era bonita. Pero Ostos la encontraba preciosa.

—Es tan flaca, que parece un esqueleto —decían los niños.

Por eso mismo, Ostos la encontraba lindísima. Casi sin carne, con sus huesos rusos de bailarina rusa, la señorita Taisa se deslizaba como un trompo por el gimnasio, bailando con su delgadísima cintura como una mariposa girando a gran velocidad.

Ostos había soñado varias noches que bailaba con ella, los dos, solos en un gran teatro ruso, un gran *pas de deux*, como decía la señorita Taisa. Y al terminar los aplaudían mucho y la señorita Taisa se enamoraba

Un esqueleto en vacaciones

de él y los dos se iban en gira por el mundo, arropados en gruesos abrigos de pelo de ñu y manguitos de visón, recorriendo grandes ciudades y viendo a emperadores y presidentes.

Pero una vez, la señorita Taisa había entrado al laboratorio a buscar un puntero para corregir las posturas de los pies de sus alumnos. Ostos se atrevió, entonces, y dio unos pasos hacia ella, con los brazos abiertos para invitarla a bailar y cumplir su sueño. Ojalá no se hubiera atrevido. La señorita Taisa se asustó mucho cuando vio venir hacia ella al esqueleto del laboratorio con los brazos abiertos y sonriendo. Salió huyendo y gritando que el esqueleto la había atacado. Los profesores la miraron y cuando la señorita Taisa explicó lo que había pasado, la creyeron loca.

Los niños, riendo, trataron de explicarle a la señorita Taisa que Ostos la amaba y la admiraba mucho y que solo había querido invitarla a bailar.

33

—¿Invitarme a bailar un esqueleto que ni siquiera tiene corazón? —chilló la señorita Taisa—. ¿A mí, la *prima ballerina* del Teatro Municipal de Vladivostok? Y se fue muy digna del colegio, dando un portazo y diciendo que todo aquello era una falta de respeto con el arte de la danza.

El carrito rojo

Ahora, sentado en el carrito rojo, en la punta de la montaña de metal, Ostos pensaba en la señorita Taisa con su cuello de cisne y su moño tirante y sus grandes ojos de gacela y se sentía muy, muy, muy solitario.

–Uno no debería salir solo de vacaciones, pensó Ostos. Pero sabía también que era muy muy difícil encontrar a alguien parecido a él.

Se arropó en su largo abrigo y se acomodó en el asiento, disponiéndose a dormir.

Pero en eso, una rama de árbol movió la palanca de los cambios del tablero de control, allá abajo. Y entonces, el carro rojo comenzó a bajar por el riel de la montaña rusa, cada vez, cada vez, cada vez, más y más y más y más ligero.

Los faldones del largo abrigo de Ostos se volaban en las curvas, mientras él, por primera vez en su vida, sentía una cosa en la guata, como un corazón que le latía y que le subía y le bajaba locamente. Era el miedo. Maravillado, Ostos se dio cuenta de que era un esqueleto especial. Podía sentir miedo y echar de menos a un ser humano. Tenía corazón.

Mientras, el carro rojo bajaba de las alturas a gran velocidad y se remontaba de nuevo.

–Tengo corazóooon –gritó Ostos, entusiasmado, dejando correr el grito en la oscuridad de la noche, remontándose a la cumbre de la montaña para precipitarse a los abismos. ¡Es lo que me sube y me baja! ¡Mi propio corazón!

Ostos estaba tan feliz por su descubrimiento, que no se dio cuenta que el carro se había detenido suavemente en la entrada, al pie de la montaña rusa. El recorrido había terminado.

El túnel

Ostos siguió caminando por el mundo encantado que había encontrado en medio de aquel parque en la noche y que había dado inicio a sus vacaciones en el momento menos esperado.

Todo era perfecto esa noche. Excepto que Ostos, caminando por los senderos de maicillo blanco, que relucían a la luz de la luna, se sentía solo y echaba de menos a alguien, no sabía a quién.

De pronto, Ostos pasó frente a los espejos de la risa y se vio ahí muy gordo, con los huesos anchos, con un abrigo que no era suyo y un sombrero que le quedaba algo grande, soñando con no estar solo. Le dio un poco de risa y un poco de pena.

—De todos modos, estas son mis vacaciones —se dijo.

Entonces, bajo la luna, como si hubiera aparecido de repente, vio la entrada al tren, como la boca de un túnel.

Era un Tren Fantasma.

Era un Tren Fantasma tradicional, con todo lo que debe tener un Tren Fantasma que se respete. En la entrada del túnel había dibujado todo lo que se prometía en el tren: telarañas, abismos, calaveras bailando, ataúdes, brujas, calderos, gatos, búhos, fantasmas y esqueletos bailando.

Entusiasmado, Ostos entró.

Al comienzo no vio nada. Pero después descubrió un mundo maravilloso. Entre rocas húmedas, llenas de musgo, volaban murciélagos y vampiros envueltos en telarañas y gigantescos líquenes caníbales crecían en los recodos del túnel que cubría el riel por donde pasaba el Tren Fantasma.

Ostos se adentró lleno de delicia por aquel mundo subterráneo. Se encontró con tumbas abiertas y vio un Drácula roncando, con los colmillos salidos y una gotita de sangre en la punta de su nariz azul.

–Qué divertido –se dijo Ostos y siguió caminando sin miedo alguno por el lóbrego túnel. Se hallaba en su elemento. Para

eso era un esqueleto. Junto al riel del Tren Fantasma se erguían todo tipo de horrores construidos en cartón piedra: losas de cementerio, calaveras con los huesos cruzados. Fantasmas de trapo y con cara de sueño descansaban envueltos en sus sábanas. Monstruos arrugados y soñolientos, que roncaban bajo su gruesa piel, escondiendo sus garras de cartón piedra.

El encuentro

Entonces sucedió algo maravilloso. Al pasar por un recodo, Ostos casi tropieza con alguien que dormía en el suelo, sobre un montón de telarañas y alas de murciélago.

—¡Ay! —gritó ese alguien, enojado—. ¡Mira por dónde pasas!

Y entonces, al mirar, Ostos se quedó con la boca abierta.

Ante él estaba una esqueletita preciosa, de huesos marfileños y largos, como los de una bailarina, muy elegante, que se estiraba, bostezando.

—¿Es que no puedes mirar dónde pones los pies? —dijo ella, un poco enojada.

—Pe, pe, perdón —balbuceó Ostos, ayudándola a levantarse. Ella era livianita y grácil como una pluma.

—Es que no soy de aquí —dijo Ostos, sin dejar de mirarla—. Y nunca había entrado a un lugar tan...

—¿Tan qué? —dijo ella, mirándolo con sus grandes cuencas oscuras.

–Tan...maravilloso –dijo Ostos de una sola vez. La miraba sin poder dejar de mirarla con su rostro huesudo, lleno de admiración.

Es bellísima, pensó. Delgada, elegante, de bellos huesos elongados.

Ella lo miraba con extrañeza.

–¿Qué haces aquí? –preguntó.

–Estoy de vacaciones –dijo Ostos.

–¿De vacaciones? –se asombró ella–. Un esqueleto de vacaciones.

–Sí –repuso Ostos–. Trabajo en el laboratorio de un colegio inglés, cerca de la ciudad.

–Ah –dijo ella, mirándolo.

–¿Cómo te llamas? –preguntó Ostos, sintiendo que se ponía un poco colorado. Esto era imposible, desde luego. ¿Cuándo han visto ustedes que un esqueleto se ponga colorado? Pero Ostos sentía que su corazón, el mismo que había despertado en la montaña rusa, latía acelerado cuando estaba cerca de la bella esqueleta.

–Astrágala –dijo ella, estirándose con flojera y sacudiendo los huesos de sus manos, que sonaron como un cascabel.

Y Ostos quedó repitiendo su nombre con delicia.

–Astrágala, qué bonito nombre –dijo–. Astrágala, Astrágala. –Sonaba como una música entre un montón de huesos antiguos y melodiosos.

Entretanto, Astrágala ordenaba las telarañas y colgaba a los murciélagos y vampiros del techo, mientras ahuecaba a los fantasmas, para que parecieran inflados.

–¿Qué haces? –preguntó Ostos.

–El aseo –dijo Astrágala–. Preparo las cosas para cuando comience a pasar el Tren.

–¿El tren? –dijo Ostos, sorprendido.

–Tú preguntas todo, como si vinieras bajando recién a la Tierra –dijo Astrágala, mirándolo fijo.

–Este es un Tren Fantasma y todos nosotros trabajamos aquí, asustando. En jornada completa. ¿O no te habías dado cuenta? ¿Cómo te llamas? –preguntó.

–Ostos –dijo él, suavemente.

Le encantaba Astrágala. Su fino talle de bailarina y sus gestos llenos de gracia, como un hada. Como la radiografía de un hada.

–Mira, Ostos –dijo Astrágala–. Estamos en un parque de diversiones. Y la principal diversión es el Tren Fantasma. Somos los mejores –añadió, orgullosa–. Cuando sentimos el ruido del tren, tenemos que asustar a la gente que va pasando en los carros y hacer como que nos tiramos encima de ellos, para que griten de terror. Ese es nuestro trabajo.

–¿Asustar? –dijo Ostos, sorprendido. Nunca había oído de un trabajo así.

–Obvio –dijo Astrágala–. Para eso son los trenes fantasmas.

Los otros monstruos

Entonces Astrágala lo tomó de una mano y le hizo un recorrido a lo largo del tren. Le

presentó a los Monstruos Devoradores de Niños, que se habían quedado dormidos y se refregaban los ojos; le presentó a los Fantasmas Ululantes y a los Vampiros Chupadores de Sangre Humana, que dormían cabeza abajo, chupando una mamadera invisible; finalmente, le presentó al Descabezado.

Este último, molesto, no quiso saludar a Ostos. Estaba enamorado de Astrágala y consideraba a cualquier extraño como un enemigo.

Pero Astrágala le dijo después a Ostos, en secreto, que le era imposible enamorarse de un hombre que no tenía cabeza y que cuando la encontrara, saldría con él, pero no antes.

El Descabezado llevaba años buscando con desesperación su cabeza, para poder invitar a Astrágala a salir con él. Pero era difícil que la encontrara, porque era un verdadero Descabezado.

En ese momento, se oyó un gran ruido de fierros y palancas.

–¡El tren! –gritó Astrágala, poniéndose rápidamente de pie. Corrió hacia el recodo. Los fantasmas, el Descabezado, los vampiros, las arañas peludas, las calaveras, los monstruos, todos corrieron a sus puestos.

–¡Ayúdame! –ordenó Astrágala a Ostos–. Ponte a mi lado y haz todo lo que yo haga cuando el tren vaya pasando.

Ostos se apresuró a ponerse junto a ella.

El Tren Fantasma

El ruido aumentó y de repente aparecieron los carros del Tren Fantasma, con gente sentada en ellos, mirando con las bocas abiertas, llenas de dulces y grandes ojos, hacia la oscuridad del túnel.

Astrágala y Ostos hicieron como que se lanzaban sobre ellos, aullando uuuuuuuuu mientras los carros pasaban.

–¡Ayy¡ –gritaban los niños y los grandes, aterrados y felices.

Era un gran Tren Fantasma. Lo mejor del parque de diversiones.

–¡Ese esqueleto me tocó! ¡Lo juro! –gritaban. Y desaparecieron a gran velocidad por el recodo.

–Astrágala –comenzó Ostos, poniéndose rojo de nuevo–. Quiero decirte que...

–Dímelo rápido, porque viene el otro tren –dijo ella.

Y el otro tren pasó. Solo se vio moverse la mandíbula de Ostos, sin que Astrágala oyera nada de lo que él decía.

Así, Ostos estuvo todo ese día de trabajo tratando de decirle a Astrágala lo que quería decirle. Y siempre, cuando se lo iba a decir, pasaba el tren con un estruendo de fierros y ruedas y chirridos, mientras Astrágala le hacía señas a Ostos para que le ayudara a asustar a los clientes y que le dijera después lo que le iba a decir.

Esa noche

Esa noche, mientras todos dormían, el Descabezado se acercó a Ostos con un serrucho. Intentaba cortarle la cabeza para ponérsela él. Astrágala lo sorprendió justo cuando se acercaba a Ostos, que se hallaba durmiendo.

–¡Qué estás haciendo, Descabezado! –dijo enojada–. No seas tramposo. Esa no es tu cabeza, por lo demás. Nunca saldría yo con un Descabezado con cabeza de esqueleto. Eso es un monstruo y yo no salgo con monstruos. Ándate de aquí y deja dormir.

El Descabezado dio un salto y se le puso el torax rojo, porque no tenía cabeza y se fue achunchado para su rincón.

Así pasaron los días en el Tren Fantasma.

Un día. Y el otro. Y el otro. Y el otro. Justo cuando Ostos agarraba fuerzas para decirle a Astrágala lo que tenía que decirle, justo entonces pasaba el tren y nadie oía nada de nada.

El grito

Un día, Ostos se dio cuenta de que sus vacaciones se estaban acabando. Y que tenía que volver al colegio. Entonces juntó todas sus fuerzas y fue donde Astrágala, que terminaba de colgar unas telarañas en las puntas de las rocas de cartón.

—Astrágala, yo necesito decirte qu....

Y pasó el tren.

Pero Ostos había juntado fuerzas. Muchas fuerzas. Las había acumulado durante días de días.

Y entonces, por sobre el ruido de fierros y chirridos y ruedas del tren se oyó la potente voz de Ostos, una voz de ultratumba gigante que gritaba:

—¡ASTRÁGALA, YO NECESITO DECIRTE QUE TE QUIERO MUCHOOO! ¿QUIERES CASARTE CONMIGOOOO?

El ruido del tren pasó. Se hizo el silencio en el túnel. Las palabras de Ostos quedaron flotando en la oscuridad llena de lianas y telarañas del Tren Fantasma. Retumbaban en las paredes de piedra y se repetían con eco:

—¿Quieres casarte conmigo?

Entonces Astrágala miró a Ostos sorprendida. Esta vez fue ella la que se puso roja. Bueno, no roja, solo un poco roja, rosada, como las piedras de Rosetta. Se veía más bonita que nunca y bajó la cabeza.

—Por qué gritas tanto —dijo.

En ese momento, todos los fantasmas, arañas, calaveras, vampiros y monstruos dijeron a coro:

—¡PORQUE NO SE OYE NADA CON EL RUIDO DEL TREN!

Ostos estaba muy nervioso. El corazón le latía a cien por hora, dentro de su costillar. Miró a Astrágala y le dijo:

—No me has contestado.

Ella bajó la cabeza, lentamente, balanceando su cuello lleno de vértebras, como una escultura. Y respondió muy bajito:

—Contestado qué.

—Si te quieres casar conmigo —dijo Ostos.

Entonces Astrágala levantó la cabeza de huesos, fina como una cajita, y dijo:

—Mi respuesta es SÍ.

—¡¡¡Bravo!!! —gritaron todos los monstruos del Tren Fantasma.

En ese momento se acercó un carro de pasajeros, pero nadie lo sintió porque todos miraban a la pareja de esqueletos.

Entonces, Ostos y Astrágala se dieron un beso. Sus huesitos sonaron delicadamente, con el ruido del verdadero amor.

En eso, se oyó un grito:

—¿Qué clase de tren fantasma es este, donde nadie asusta a nadie? —se levantó reclamando un cliente furioso. Era un señor muy alto, que había venido a asustarse desde otro país, atraído por la fama del Tren Fantasma de Santiago de Chile.

Pero nadie le hizo caso. Todos los pasajeros comentaban muy animados que habían visto un esqueleto parlante auténtico, en una escena de amor auténtica con una esqueleta auténtica.

—Esto sí que es único —decían—. Mucho más que un vulgar susto.

Luego Ostos y Astrágala se despidieron de los monstruos del tren. Todos lloraban, porque querían mucho a Astrágala, pero estaban felices de que se fuera con Ostos a vivir al colegio antiguo. Y que se quisieran tanto los dos.

Solo el Descabezado, muy triste, no fue a despedirse. Ostos le estrechó la mano. Y le prometió que le traería una cabeza de cartón piedra de la bodega de disfraces del colegio inglés. Refunfuñando, el Descabezado le dio la mano. Pero estaba contento en el fondo, porque se había dado cuenta de que Astrágala era feliz, más feliz de lo que nunca la había visto en su vida.

Al final de aquellas memorables vacaciones, Ostos y Astrágala volvieron al colegio inglés y esa noche entraron al laboratorio. Al día siguiente llegarían los niños. Se pusieron cada uno en un soporte de metal y se quedaron quietos, mirándose felices.

–Qué tranquilo es todo esto –se maravillaba Astrágala, mirando las paredes de caoba con los silenciosos pájaros embalsamados, las grandes mesas del laboratorio llenas de probetas y los armarios con los mapas del mundo. –No hay que colgar vampiros, ni barrer líquenes, ni inflar fantasmas, ni chasconear monstruos, qué alivio –suspiró feliz.

Era la vida tranquila y ordenada que Astrágala siempre había soñado.

–Buenas noches, Ostos –dijo, dándole un beso–. Soy feliz.

Dos en vez de uno

Ese año, a vuelta de vacaciones, los profesores se extrañaron cuando entraron al laboratorio y vieron DOS esqueletos en lugar de uno. El más feliz era el profesor de Biología y Anatomía y fue a agradecer al director el haber adquirido un nuevo esqueleto para la clase de anatomía. El director lo miró atentamente y no dijo nada, pero pensó que el profesor de Biología y Anatomía se había vuelto loco en las vacaciones o estaba borracho, porque veía doble.

—Pobre, a lo mejor tomó mucho sol —se dijo.

Solo los niños comprendieron inmediatamente la verdad sin esfuerzo, porque los niños entienden las cosas más rápido que los grandes, aunque los grandes piensen lo contrario.

—Ostos sacó polola —dijeron.

Y todos desfilaron saludando a Astrágala, dándole la mano.

Astrágala estaba encantada al ver niños tan simpáticos y educados a la inglesa. Inmediatamente se hizo amiga de ellos. Y en las clases de Biología y Anatomía, cuando el profesor pedía a alguno que saliera adelante y mostrara los huesos de las costillas y el fémur y la tibia y el peroné y el tarso y el metatarso, Astrágala, a la disimulada, les soplaba y les mostraba con su dedito de hueso donde estaban los huesos correspondientes.

Y Ostos y Astrágala se quedaron en aquel colegio para siempre. No salieron nunca más a vacaciones. Conversaban todo el día y recordaban las andanzas en el Tren Fantasma. Vivieron muy felices, porque el amor los había hecho inseparables y eternos.

Blu

Había una vez tres niñitos muy muy tímidos, que se sentían muy muy solos en la Tierra.

Una era la Niñita más Gorda del Mundo. Era de Estados Unidos y se llamaba Caroline Balloon. Siempre tenía hambre. Solo sabía decir *I am starving.* (Estoy muerta de hambre).

Otro era el Niñito más Bajo del Mundo. Era mucho, mucho más pequeño de lo que correspondía a su edad. Venía de Francia, se llamaba André Petit, y andaba muy derecho.

Era muy rabioso y peleaba a combos con todos sus compañeros para que lo respetaran. Solo sabía decir: "!Ey, ey! c´est moi!" (¡Ey, soy yo!).

La tercera era la Niñita más Flaca del Mundo. Se llamaba Pili Delgado y no comía nada. Era delgada como un hilo. Nunca tenía ganas de hacer nada y solo sabía decir: "Me carga esto".

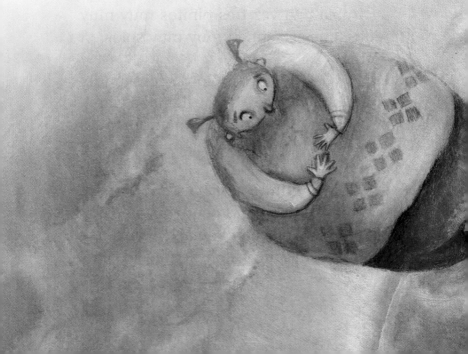

Un día Caroline Balloon, André Petit y Pili Delgado decidieron irse de la Tierra, porque no lo pasaban bien en ella. Se consiguieron unos trajes espaciales y se metieron en el *Stardust II,* una nave con un grupo de científicos que iban con niños y que tenía la misión de recolectar datos sobre el sistema solar.

Iban navegando por el espacio, cuando de pronto, por un desperfecto técnico, la cápsula donde viajaban los tres niñitos se separó de la nave madre y fue atraída por la fuerza de gravedad de un planeta desconocido.

El aplanetaje fue muy brusco. Los niños se bajaron y miraron a su alrededor, impresionados. Eran los primeros que pisaban ese mundo extraño y hermoso, con tres soles que no calentaban casi nada, grandes piedras negras altas como catedrales y un suelo lleno de bolitas redondas del color de las uvas, durísimas.

La mirada

Los tres se miraron con desconfianza. Eran muy muy tímidos.

–*I am starving* –dijo Caroline Balloon, con cara de hambre.

–*¡Ey, ey c´est moi!* –dijo André Petit, mostrando los puños.

–Me carga esto –dijo Pili Delgado, mirando todo con desgano.

Ninguno entendió nada de lo que decían los otros. Se ajustaron sus cascos espaciales y se volvieron a mirar como enemigos.

Entonces, en ese momento, detrás de una filuda roca negra apareció un monstruo. Era una Bolsa Azulosa, con venas rojas y patas. Avanzó muy despacio hacia los niños, que la miraban con la boca abierta. Los tres dieron un paso atrás al mismo tiempo.

–¡Ayy! –dijeron Caroline, André y Pili al mismo tiempo. En ese momento se miraron y supieron que se entendían. Los tres tenían lo mismo: un miedo terrible.

Se acercaron un poco más. Sus cascos casi se tocaban. Y se pusieron a buscar algo con qué defenderse del enemigo. En ese momento vieron en el suelo una especia de larga piedra negra con forma de cuchillo. Los tres hicieron un gesto de "sí", con la cabeza. Se defenderían juntos si la Bolsa Azulosa los atacaba. Agarraron la piedra entre todos y esperaron a pie firme.

Pero la Bolsa Azulosa no siguió avanzando. Se detuvo y se encuclilló en el suelo. Ahí comenzó a resquebrajarse y se abrió por la mitad, sobre el suelo del planeta, de durísimas bolitas moradas.

Entonces Caroline, André y Pili vieron que desde adentro salía un pequeño ser.

Era el monstruito más lindo que nunca nadie había visto. Miró a los tres niños con su carita de tres ojos, dos narices redonditas y una boca muy grande, abierta y divertida, como una tajada de sandía. Extendió sus cuatro bracitos hacia ellos y gritó:

—¡Má!

Los tres niños se miraron con asombro. Habían entendido perfectamente. El monstruito quería a su mamá. Y pensar que habían estado a punto de atravesarlo con la piedra. La dejaron en el suelo y con mucho cuidado, se acercaron a los restos de la Bolsa Azulosa y miraron al pequeño. Era muy suave, con una pelusa azul, como conejito. No tenía ningún miedo de ellos. Se estiró como un gatito y luego repitió con su voz como un pequeño ladrido:

—¡Má!

Los niños se miraron emocionados. El monstruito creía que ellos eran la mamá. Entonces sintieron que él tenía que conocerlos, saber quiénes eran ellos realmente. Y había que decir la verdad. Se acercaron uno por uno al borde de la Bolsa Azulosa.

—Soy Caroline Balloon y siempre tengo ganas de comer. Soy muy gorda y por eso creo que nadie me quiere, entonces me da pena y como más —dijo Caroline, muy seria, en inglés.

—Yo soy André Petit. Soy muy bajo. Siempre creo que los demás no me respetan y entonces les pego para que me tengan miedo —dijo André, en francés.

—Soy Pili Delgado —dijo Pili en español—. Soy muy flaca porque no como nada y por eso nunca tengo ganas de hacer nada y soy muy fome y todo me da lata o pena.

La Bolsa Azulosa

Apenas ellos habían terminado de hablar, sucedió una cosa maravillosa. Sus palabras cayeron en la Bolsa Azulosa. Esta se cerró y se hundió bajo el suelo. Las palabras con las penas y los miedos de los niños se hundieron con los restos de la cáscara y quedaron libres. Se miraron felices. Ya no se sentían más solos, ni gordos, ni flacos, ni bajos ni que nadie los pescaba.

Ahora eran amigos.

Y tenían un amigo nuevo. Los tres tomaron al monstruito en sus brazos y permanecieron un momento, muy juntos.

–Le pondremos Blú –dijo Pili Delgado, muy contenta. Ahora tenía ganas de comer y de hacer millones de cosas entretenidas.

–Sí, sí, es un buen nombre –dijeron Caroline y André. La vida era fantástica.

En ese momento se oyó un ruido en la atmósfera. Era la nave madre que los había localizado y venía a buscarlos. Los tres niños, que ya no serían más los Niños Tímidos, subieron a la nave y partieron de regreso a la tierra con Blu en brazos.

Catálogo Colección
Delfín de Color
Serie Verde

Texto:
Myriam Yagnam
Ilustraciones:
Mariel Sanhueza, chilena
ISBN. 978-956-12-2763-7;
cód: 193; 80 págs.

Texto:
Pablo Noguera
Ilustraciones:
Alex Pelayo, chileno
ISBN. 978-956-12-2769-9;
cód: 194; 136 págs.

Texto:
Cecilia Beuchat
Ilustraciones:
Fabiola Solano, chilena
ISBN. 978-956-12-2360-8;
cód: 95 ; 80 págs.

Texto:
Marta Brunet
Ilustraciones:
Carmen Cardemil, chilena
ISBN. 978-956-12-2433-9;
cód: 25014; 136 págs.

Texto:
Esther Cosani
Ilustraciones:
Sandra Agudo, española
ISBN. 978-956-12-2609-8;
cód: 64; 112 págs.

Texto:
Hernán del Solar
Ilustraciones:
Andrés Jullian, chileno
ISBN. 978-956-12-2377-6;
cód: 131; 120 págs.

Texto:
Ana María del Río
Ilustraciones:
Fabiola Solano, chilena
ISBN. 978-956-12-2333-2;
cód: 94; 80 págs.

Texto:
Ana María Güiraldes
Ilustraciones:
Andrés Jullian, chileno
ISBN. 978-956-12-2375-2;
cód: 105; 80 págs.

Texto:
Alicia Morel
Ilustraciones:
Andrés Jullian, chileno
ISBN. 978-956-12-2415-5;
cód: 128; 96 págs.

Texto:
Alicia Morel
Ilustraciones:
Andrés Jullian, chileno
ISBN. 978-956-12-2373-8;
cód: 104; 120 págs.

Texto:
Alicia Morel
Ilustraciones:
Andrés Jullian, chileno
ISBN. 978-956-12-2525-1;
cód: 25017; 88 págs.

Texto:
Alicia Morel
Ilustraciones:
Fabián Rivas, chileno
ISBN. 978-956-12-2583-1;
cód: 25024; 80 págs.

Texto:
José Luis Rosasco
Ilustraciones:
Andrés Jullian, chileno
ISBN: 978-956-12-2410-0
cód: 126; 72 págs.

Texto:
Saúl Schkolnik
Ilustraciones:
Andrés Jullian, chileno
ISBN. 978-956-12-2713-5;
cód: 139; 88 págs.

Texto:
Juan Tejeda
Ilustraciones:
Consuelo Moreno, chilena
ISBN. 978-956-12-2420-9;
cód: 25015; 96 págs.

Texto:
Maga Villalón
Ilustraciones:
Carmen Cardemil, chilena
ISBN. 978-956-12-2534-3;
cód: 134; 80 págs.

Texto:
Maga Villalón
Ilustraciones:
Carmen Cardemil, chilena
ISBN. 978-956-12-2323-3;
cód: 93; 80 págs.

Texto:
Maga Villalón
Ilustraciones:
Andrés Jullian, chileno
ISBN. 978-956-12-2362-2;
cód: 96; 80 págs.

Texto:
Myriam Yagnam
Ilustraciones:
Andrés Jullian, chileno
ISBN. 978-956-12-2561-9;
cód: 135; 96 págs.

Texto:
Hans Christian Andersen
Ilustraciones:
Patricia Gonzáles, chilena
ISBN. 978-956-12-2413-1;
cód: 127; 80 págs.

Texto:
Frank Baum
Ilustraciones:
Patricia Gonzáles, chilena
ISBN. 978-956-12-2369-1;
cód: 97; 96 págs.

Texto:
Jakob y Wilhelm Grimm
Ilustraciones:
Carmen Cardemil, chilena
ISBN. 978-956-12-2612-8;
cód: 138; 104 págs.

Texto:
Charles Perrault
Ilustraciones:
María José Arce, chilena
ISBN. 978-956-12-2371-4;
cód: 103; 96 págs.

Texto:
León Tolstoi
Ilustraciones:
Andrés Jullian, chileno
ISBN. 978-956-12-0929-9;
cód: 41; 112 págs.